Y Llygad Dall

Elin Meek

Jac Jones

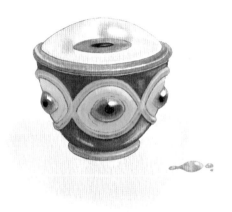

Gomer

Cyhoeddwyd yn 2006 gan
Wasg Gomer, Llandysul, Ceredigion SA44 4JL
www.gomer.co.uk

ISBN 1 84323 666 4
ISBN-13 9781843236665

Dymuna'r cyhoeddwyr gydnabod cymorth
Adrannau Cyngor Llyfrau Cymru.

Argraffwyd a rhwymwyd yng Nghymru gan
Wasg Gomer, Llandysul, Ceredigion SA44 4JL

Roedd Bryn a Mary Pritchard a'u tri phlentyn yn byw yn hapus ar ffarm yng nghefn gwlad Cymru. Un bore Sul, roedden nhw ar eu ffordd i'r capel. Doedd Mary ddim yn rhy hoff o fynd yno. Felly, penderfynodd ymweld â Mrs Prys cyn mynd i'r gwasanaeth.

Roedd Mrs Prys yn byw ar ei phen ei hun mewn bwthyn bach ar gyrion y pentref. Roedd Mary'n hoff iawn ohoni: hi oedd y fydwraig oedd wedi ei helpu i roi genedigaeth i'w phlant. Ond doedd Bryn ddim yn ei hoffi. Roedd e'n meddwl bod rhywbeth rhyfedd yn ei chylch. Yn wir, roedd rhai pobl yn dweud mai gwrach oedd hi.

Bu Mary'n sgwrsio'n hir â Mrs Prys, ac erbyn iddi gyrraedd y capel roedd y gwasanaeth ar fin dod i ben. Trodd pawb i edrych yn gas arni. Doedd neb i fod i gyrraedd y capel yn hwyr.

Y noson honno, pan oedd Bryn Pritchard allan ar y clos, clywodd
sgrech yn dod o'r tŷ. Rhedodd i mewn, ac yno, gwelodd Mary'n gorwedd
yn swp ar lawr y gegin. Rhuthrodd Bryn i benlinio wrth ei hymyl. Drwy
gil ei lygaid, gallai weld cysgod tywyll yn symud i gyfeiriad y drws.
Torrodd chwys oer dros ei dalcen wrth weld cath â wyneb dyn yn syllu
arno â llygaid melyn, oer. Cododd Bryn a dechrau rhedeg ar ei hôl, ond
gwaeddodd Mary arno i beidio. Llamodd y gath fel mellten drwy'r drws.

Bu'n rhaid mynd â Mary i'r gwely'n syth. Roedd rhywbeth rhyfedd iawn yn bod arni. Doedd hi ddim fel petai'n gallu clywed na gweld Bryn a'r plant. Gorweddai'n llonydd fel delw yn y gwely, ond yna'n sydyn, bob hyn a hyn, byddai'n crynu'n wyllt a dilywodraeth.

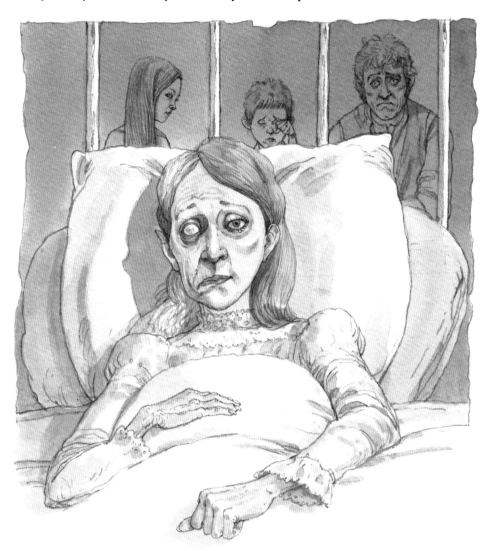

Dros y dyddiau nesaf, gwaethygodd cyflwr Mary. Aeth i edrych yn hŷn bob dydd. Mewn deng niwrnod, heneiddiodd Mary ddeng mlynedd. Trodd ei chroen yn felyn, a chodai arogl chwys sur o'r dillad gwely. Syllai ei llygaid pŵl ar Bryn a'r plant. Pan siaradai, doedd neb yn ei deall. Roedd ei llais yn grawc dieithr a rhyfedd, fel rhywbeth o fyd arall. Doedd neb yn deall beth oedd yn bod arni a'i chyflwr yn gwaethygu bob dydd.

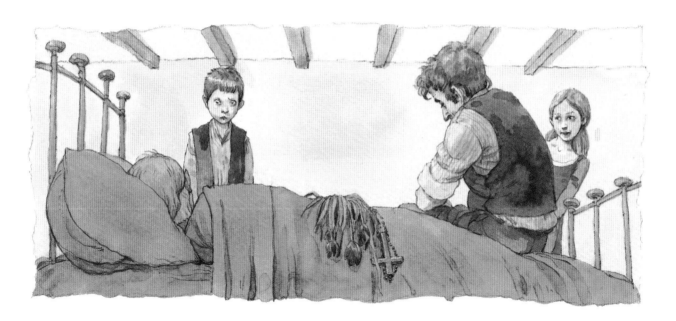

Anghofiodd Bryn am waith y fferm, ac aeth pethau rhwng y cŵn a'r brain. Byddai cymdogion yn dod â bwyd iddyn nhw, ond doedd neb i ofalu am y plant. Aeth y babi at ffrindiau yn y pentref, ond roedd y ddau blentyn arall gartref o hyd, yn edrych yn frwnt a'u dillad yn rhacs.

Un bore, pan oedd Bryn Pritchard a'r plant yn torri coed tân, daeth Mrs Prys i'r clos yn llawn cyffro.

'Bryn, dwi wedi gweld Mary! Dwi wedi bod yn siarad â hi.'

'Beth?' meddai Bryn a chwerthin yn chwerw. 'Mae Mary yn ei gwely ers wythnos a mwy.'

'Ond, Bryn,' meddai Mrs Prys, 'nid Mary sydd yn y gwely – ond "peth". Dywedodd Mary wrtha i fod y Tylwyth Teg wedi ei chipio hi, ac wedi gadael "peth" yn ei lle.'

Roedd Bryn yn benwan wrth glywed y fath stori. 'Nid plentyn ydw i, Mrs Prys. Dwi'n gallu gweld trwy eich straeon chi. Ry'ch chi'n siarad dwli,' gwaeddodd.

'Mae Mary'n sâl yn ei gwely, a does gen i a'r plant ddim amser i'ch straeon rhyfedd chi. Ewch adref, da chi, a pheidiwch byth â dod 'nôl!'

'Bryn!' meddai Mrs Prys. 'Dwi'n synnu atoch chi, a chithau'n Gristion da, yn codi eich llais at hen wraig fel fi.'

'Cristion da neu beidio,' meddai Bryn, 'does gen i ddim amynedd at hen wragedd fel chi sy'n rhaffu celwydd. Ewch oddi yma ar unwaith!'

Dechreuodd Mrs Prys gerdded, ond trodd yn ôl a dweud:

'Fydd y "peth" ddim yno'n hir – fe fydd yn marw ymhen mis. Cofiwch chi beth dwi newydd ei ddweud wrthoch chi, Bryn,' ychwanegodd. Yna i ffwrdd â hi, gan bwyso'n drwm ar ei ffon.

Ymhen mis, roedd Mary wedi marw. Daeth pawb i'w hangladd yn eglwys y plwyf. Wedyn, cafodd ei harch ei chario i'r fynwent a'i gollwng yn araf i'r ddaear. Safodd Bryn a'r plant wrth lan y bedd a daeth pobl y pentref i gydymdeimlo â nhw.

Er bod pawb yn garedig wrthyn nhw fel teulu, roedd Bryn yn torri'i galon.

Am wythnosau wedyn, roedd Bryn yn methu'n lân â chysgu. Roedd e'n troi a throsi yn y gwely, yn meddwl am yr hyn oedd wedi digwydd. Bob nos, byddai'n gweld y gath â wyneb dyn yn syllu arno â'i llygaid melyn. Roedd hi'n gwrthod diflannu. Allai e wneud dim i gael gwared arni.

Roedd stori Mrs Prys yn dal i gorddi Bryn. Tybed a oedd rhywfaint o wirionedd yn ei stori wedi'r cyfan? Er nad oedd e erioed wedi ei hoffi, penderfynodd fynd i'w gweld. Curodd ar ddrws y bwthyn a chlywed ei chlocs pren yn llusgo ar draws y llawr pridd. Cilagorodd Mrs Prys y drws, a phan welodd pwy oedd yno, agorodd ef led y pen.

'Bryn,' meddai Mrs Prys. 'Ro'n i'n gwybod y byddech chi'n dod.'

'Dwi eisiau gwybod beth yn union ddigwyddodd pan welsoch chi Mary,' meddai Bryn.

'Popeth yn iawn,' meddai Mrs Prys. 'Dewch i lawr at yr afon. All neb ein clywed ni yn y fan honno.'

Felly camodd y ddau ar gerrig sarn yr afon, a dechreuodd Mrs Prys adrodd ei stori.

'Un noson, daeth dyn ar gefn ceffyl du yma i ofyn i mi helpu ei wraig i eni baban. Roedd e wedi clywed fy mod i'n fydwraig. Cododd fi ar gefn y ceffyl du, ac i ffwrdd â ni fel cath i gythraul. Cyn hir, cyrhaeddon ni dŷ crand iawn. Roedd e fel plasty bychan, gyda drws pren cadarn a ffenestri mawr urddasol. Arweiniodd y dyn fi i ystafell wely hyfryd. Roedd carped ar y llawr a chynfasau sidan ar y gwely. Yno roedd ei wraig yn gorwedd. Roedd hi ar fin esgor ar faban.

'Fuodd y wraig ddim yn hir cyn esgor – bachgen bach cryf yn llefain yn groch. Aeth un o'r gweision i nôl y tad. Daeth yntau a rhoi cusan i'w wraig cyn dod draw at ei fab bach.

'*Diolch yn fawr i chi am ddod yma*, meddai gan droi ataf. *Ond tybed a allech chi aros am ychydig ddyddiau eto? Fe fydden ni wir yn ddiolchgar am eich help chi*, meddai, gan gamu at y silff ben tân a chodi potyn oddi arni. *Mae pawb yn y teulu'n dioddef o broblem gyda'r llygaid. Ond mae modd gwella'r broblem â'r eli yn y potyn yma. Dim ond i'r baban gael ychydig o'r eli yma ar ei lygaid ar ôl cael bath, fe fydd popeth yn iawn. Ond byddwch yn ofalus. Er bod yr eli'n gwella llygaid y baban, fe fyddai'n achosi poen mawr yn eich llygaid chi.*

'Cytunais i aros am ragor o amser. Bob nos, roeddwn yn rhoi bath i'r baban ac yn rhoi'r eli'n ofalus ar ei lygaid. Ond un noson, tasgodd dŵr o'r bath dros fy wyneb. Dyma fi'n codi fy llaw a sychu fy llygad dde. Rhaid bod peth o'r eli wedi mynd ar fy llygad, oherwydd cefais syndod mawr!

'Sylweddolais fod fy nau lygad yn gweld dau beth gwahanol. Roeddwn i'n gweld ystafell wely hyfryd ag un llygad. Ond â'r llall, roeddwn i'n gweld ogof laith a diferion dŵr yn llifo ar hyd walydd y cerrig. Wedyn, wrth edrych i lawr, gallwn weld carped gwlân trwchus ar y llawr ag un llygad. Ond â'r llall, dim ond llawr ogof oedd i'w weld, yn llaid a cherrig i gyd. Edrychais i lawr wedyn ar y baban. Roedd un llygad yn gweld baban iach, llond ei groen. Ond roedd y llygad arall yn gweld baban gwan â chroen gwyn afiach. Allwn i ddim credu'r peth! Ond wrth i mi syllu o'm cwmpas fel hyn, sylwais fod y fam yn edrych yn graff arnaf. Felly, rhag iddi amau bod eli ar fy llygaid, dyma fi'n mynd ati i wneud fy ngwaith heb ddangos dim.

'Ry'ch chi'n gweld, Bryn, roedd y Tylwyth Teg wedi rhoi swyn arna i. Roeddwn i'n gweld byd y Tylwyth Teg fel byd go iawn. Ond ar ôl i mi roi eli ar un llygad, roedd y swyn wedi diflannu.

'Pan o'n i'n nôl dŵr, daeth y nyrs ataf. Roedd un llygad yn gweld mai nyrs oedd hi, ond roedd y llygad arall yn gweld Mary. Edrychai'n frwnt a diflas a'i dillad yn rhacs.

'*Mae'r Tylwyth Teg wedi fy nghipio i fod yn nyrs i'r babi,* sibrydodd Mary. *Yr unig ffordd y galla i ddianc yw os daw Bryn i ganol y Tylwyth Teg yn Heol y Felin noson Galan Gaeaf a 'nghipio i nôl. Wnewch chi ddweud wrth Bryn, os gwelwch yn dda, Mrs Prys?* gofynnodd Mary wedyn, gan edrych yn ymbilgar arnaf. *Wrth gwrs, Mary fach,* meddwn innau.

'Felly dyma fi'n gofyn i'r tad a gawn i fynd adref. Ond, wrth siarad ag e, roedd un llygad yn gweld gŵr bonheddig trwsiadus a'r llall yn gweld un o'r Tylwyth Teg â chlust bigfain, croen rhychlyd a gwallt anniben.

'*Popeth yn iawn*, meddai'r tad, ar ôl clywed fy nghais. *Diolch yn fawr iawn i chi am eich cymorth.*

'Wrth edrych dros fy ysgwydd, gallwn weld plasty crand ag un llygad, ond â'r llall gwelwn yr ogofâu sydd ar dir Siencyn.

'Dyma un o'r gweision yn fy nhywys at geffyl du. Dyna oedd i'w weld ag un llygad. Ond allwn i weld dim byd o gwbl â'r llygad arall. Cododd y gwas fi ar gefn y ceffyl, ac eisteddodd yntau o'm blaen. Ond allwn i ddim teimlo ceffyl oddi tana i o gwbl. Hofran ro'n ni, dwi'n siŵr.

'Ar ôl cyrraedd adref, dyma'r gwas yn rhoi llond cod o aur i mi. Pan agorais y god, roedd un llygad yn gweld aur, a'r llall yn gweld dail crin.'

Ar ôl clywed y fath stori anhygoel, roedd Bryn Pritchard yn syfrdan.

'Os nad ydych chi'n fy nghredu i,' meddai Mrs Prys, 'mae un ffordd i brofi'r stori. Fe ddwedais i wrthoch chi o'r blaen nad Mary oedd yn sâl yn y gwely, ond "peth". Ond mae'r swyn yn cael ei dorri o dan ddaear.'

'Sut gall hynny fy helpu i?' gofynnodd Bryn mewn penbleth.

'Wel, os ewch chi i'r fynwent ac agor y bedd, nid corff Mary fydd yn yr arch,' atebodd Mrs Prys.

Felly, yn hwyr y noson honno, dyma Bryn Pritchard yn mynd i'r fynwent gyda'i raw.

Cododd y tyweirch yn ofalus i un ochr, yna dechreuodd rofio'r pridd yn bentwr. Roedd e'n chwysu chwartiau erbyn symud yr haen olaf o bridd oddi ar glawr yr arch. Tynnodd anadl ddofn a chodi'r clawr. Teimlodd Bryn ei stumog yn tynhau a bu bron iddo roi sgrech wrth weld darn o hen dderwen gnotiog ar ffurf person. Cerrig mân gwyn oedd yn lle llygaid, a dannedd ci yn y geg. Ar y pen, roedd ambell flewyn o wallt Mary. Taflodd y caead ar yr arch a rhofiodd y pridd yn ôl yn ei le'n wyllt.

O'r diwedd, roedd Bryn Pritchard yn credu stori Mrs Prys. Felly, wrth iddi ddechrau nosi ar noson Calan Gaeaf, dyma Bryn a Mrs Prys yn cerdded ar hyd Heol y Felin. Yn sydyn, gwelson nhw'r Tylwyth Teg yn y pellter. Roedd cannoedd ar gannoedd ohonyn nhw. Roedd rhai yn hardd a phrydferth, ond roedd eraill yn ellyllon erchyll.

'Gwell i ni aros fan hyn, Bryn,' meddai Mrs Prys wrth iddyn nhw gyrraedd y groesffordd. 'Pan welaf i Mary, fe fydda i'n eich gwthio chi ymlaen ati. Cofiwch gydio'n dynn ynddi. A pheidiwch â gollwng eich gafael, beth bynnag ddigwyddith.'

Roedd Bryn yn teimlo'n ofnus tu hwnt. Doedd e ddim yn gyfarwydd â byd y Tylwyth Teg.

Cyn hir, dyma'r cannoedd o Dylwyth Teg yn dod yn nes. Yn sydyn, rhoddodd Mrs Prys hergwd i Bryn a'i wthio i ganol y Tylwyth Teg. Teimlodd rywbeth cynnes yn ei ymyl, felly dyma fe'n lapio ei freichiau amdano'n dynn.

Yn union ar ôl hyn, daeth ellyllon gwyn ato a gweiddi'n groch, gan rwygo'i ddillad a'i groen â'u hewinedd miniog. Ond daliodd Bryn yn dynn drwy'r cyfan. Wedyn, gwelodd ei rieni oedd wedi marw ers blynyddoedd. Dyna lle roedden nhw'n ymbil arno i ollwng ei afael a chydio ynddyn nhw. Ond daliodd Bryn yn dynn drwy'r cyfan. Yna, gwelodd y gath fawr â wyneb dyn unwaith eto. Roedd yn ymosod ar ei blant a'r rheini druain yn sgrechian ac yn ymbil arno am help.

Ond daliodd Bryn yn dynn drwy'r cyfan.

Yn sydyn, dyma Bryn yn gweld Mary, wrth i'r peth yn ei freichiau droi'n goeden, yna'n llysywen ac, yn olaf, yn golofn dân.

Yna, aeth popeth yn wyn a sylweddolodd Bryn mai Mary, ei wraig annwyl, oedd yn ei freichiau.

Aeth popeth yn dawel.

Aeth Bryn a Mary Pritchard adref at y teulu'n llawen. Un o'r pethau cyntaf a wnaeth pawb oedd gweddïo i ddiolch am gael Mary'n ôl ac am fod yn deulu cyflawn a chrwn unwaith eto.

Nid anghofiodd Mary fyth am yr hyn a ddigwyddodd iddi. Hi fyddai'r cyntaf i gyrraedd y capel wedi hynny, a gwnâi'n siŵr fod y plant yn gweddïo'n gyson.

Roedd pawb yn hynod ddiolchgar i Mrs Prys am ei chymorth. Felly trefnodd Bryn Pritchard ei bod yn cael cyflenwad da o goed tân am weddill ei hoes.

Ychydig fisoedd yn ddiweddarach, aeth Mrs Prys i'r farchnad yn ôl ei harfer ar ddydd Mercher. Yn sydyn, gwelodd leidr yn dwyn menyn.

'Lleidr!' gwaeddodd Mrs Prys.

Ond yn lle dianc, trodd y lleidr ati. Aeth ias i lawr cefn Mrs Prys wrth sylweddoli mai tad y baban oedd yno.

'Pa lygad wyt ti'n ei defnyddio heddiw?' gofynnodd y gŵr bonheddig.

'Hon,' meddai Mrs Prys a phwyntio at ei llygad dde.

'Fe wnes i dy rybuddio am yr eli. Nawr rwyt ti wedi gweld gormod.'
Pwysodd y gŵr bonheddig ymlaen a chwythu ar y llygad. Aeth
popeth yn wyn, ac o hynny ymlaen roedd llygad dde Mrs Prys yn ddall.

Ond roedd Mrs Prys yn gwybod yn iawn bod y Tylwyth Teg
o gwmpas bob amser. Roedden nhw'n ei gwylio hi, hyd yn oed os na
allai hi eu gweld nhw.